Chris Van Allsburg

JUMANJI

L'ECOLE DES LOISIRS
11 rue de Sèvres, Paris 6ᵉ

Pour Tom S.
Je remercie Michaela, Allison et Ruth

ISBN 978-2-211-09687-4
Traduit de l'américain par Catherine Chaine
© 1983, l'école des loisirs, Paris, pour l'édition en langue française
© 1981, Chris Van Allsburg
Titre original : « Jumanji » Houghton Mifflin, Boston, 1981
Loi n°49 956 du 16 juillet 1949 sur les publications
destinées à la jeunesse : mai 1993
Dépôt légal : octobre 2008
Imprimé en France par Mame Imprimeurs à Tours

JUMANJI

«C'est bien compris», avait dit maman, «après l'opéra, votre père et moi nous amenons des amis alors vous ne mettez pas la maison sens dessus dessous.»

«Compris?» avait répété papa en fourrant son écharpe dans son manteau.

Maman avait inspecté sa tenue dans la glace et ajusté son chapeau avec des épingles puis elle s'était agenouillée pour embrasser les deux enfants.

La porte d'entrée à peine fermée, Judith et Pierre gloussèrent avec délices. Ils sortirent tous les jouets de leur coffre, pêle-mêle, dans le plus grand désordre. Mais les rires cessèrent assez vite et Pierre finit par s'écrouler dans un fauteuil.

«Tu sais?» dit-il, «je m'ennuie comme un rat.»

«Moi aussi», soupira Judith. «Pourquoi n'allons-nous pas jouer dehors?»

Pierre approuva et ils traversèrent la rue pour aller au parc. Il faisait déjà froid pour Novembre. Les enfants voyaient leur souffle se transformer en vapeur. Ils se roulèrent dans les feuilles et quand Judith essaya d'enlever quelques feuilles du chandail de Pierre il bondit sur ses pieds et courut derrière un arbre. Quand sa sœur le rattrapa il était à genoux au pied de l'arbre et examinait une longue boîte mince.

«Qu'est-ce que c'est?» demanda Judith.

«C'est un jeu», dit Pierre en lui tendant la boîte.

Judith lut sur la boîte: «*Jumanji, un jeu d'aventures dans la jungle.*» «Regarde», dit Pierre en pointant du doigt une notice imprimée au dos de la boîte. Il lut ces mots écrits d'une main enfantine: «*Jeu-surprise, drôle pour certains mais pas pour tous. P.S. Lisez attentivement les instructions.*»

«Tu veux l'emporter à la maison?» demanda Judith.

«Pas sûr», répondit Pierre. «Si quelqu'un l'a laissé ici c'est qu'il est très ennuyeux.»

«Oh! arrête», protesta Judith. «Essayons un coup. Au premier arrivé à la maison!» Et elle s'enfuit en courant avec Pierre sur ses talons.

A la maison les enfants étalèrent le jeu sur la table de bridge. Il ressemblait beaucoup aux jeux qu'ils avaient déjà. Il y avait une planche qui se dépliait et dessus, un itinéraire de cases coloriées. Un message était écrit dans chaque case. Le sentier partait de la jungle la plus profonde et se terminait à Jumanji, une ville aux maisons et aux tours dorées. Pierre commença par secouer les dés et par jouer avec tous les pions de la boîte.

«Pose tout ça et écoute», dit Judith. «Je vais lire les instructions: «*Jumanji, une aventure dans la jungle, pour la jeunesse, spécialement conçue pour les désœuvrés et les agités. A. Le joueur choisit un pion et le met dans la jungle la plus profonde. B. Le joueur secoue les dés et avance le pion sur la piste tracée à travers la jungle parsemée de dangers. C. Le premier joueur qui arrive à Jumanji et hurle le nom de la ville est le vainqueur.*»

«C'est tout?» demanda Pierre déçu.

«Non», dit Judith, «il y a encore quelque chose et c'est en lettres capitales: D. TRÈS IMPORTANT: A PARTIR DU MOMENT OU UNE PARTIE DE JUMANJI EST COMMENCÉE ELLE NE PEUT SE TERMINER AVANT QU'UN DES JOUEURS N'AIT ATTEINT LA VILLE D'OR.»

«La belle affaire», dit Pierre en bâillant d'ennui.

«Voilà», dit Judith en tendant les dés à son frère «Attaque.»

Pierre jeta négligemment les dés.

«Sept», dit Judith.

Pierre avança son pion jusqu'à la case 7.

«*Un lion attaque, reculez de deux cases*», lut Judith.

«Sapristi, vraiment très drôle», dit Pierre d'une voix endormie. Il lâcha son pion et leva les yeux vers sa sœur. Elle avait l'air absolument terrifiée.

«Pierre», murmura-t-elle, «tourne-toi très très lentement.»

Le garçon se tourna sur son siège. Il ne pouvait en croire ses yeux. Un lion était étendu sur le piano. Il regardait fixement Pierre et se léchait les babines.

Le lion rugit tellement fort que Pierre tomba à la renverse. Le gros chat sauta sur le sol, Pierre bondit sur ses pieds et courut à travers la maison, le lion sur ses talons, à une moustache de distance. Pierre fonça au premier et plongea sous un lit. Le lion essaya de le suivre mais se coinça la tête. Pierre sortit à quatre pattes, courut hors de la chambre et claqua la porte derrière lui. Il rejoignit Judith dans l'entrée. Il était hors d'haleine.

«Je crois», dit Pierre essoufflé, «que je ne veux… plus… jouer… à ce jeu.»

«Mais il faut finir la partie», dit Judith en aidant Pierre à descendre les escaliers. «C'est ce que disent les instructions. Ce lion ne partira pas jusqu'à ce que l'un de nous gagne.»

Pierre était debout près de la table de bridge. «Et si nous appelions le zoo pour le faire prendre?» Du premier étage arrivaient des grognements et des bruits de griffes sur la porte de la chambre. «Ou peut-être pourrions-nous attendre que papa rentre?»

«Personne ne viendra du zoo parce qu'ils ne nous croiront pas», dit Judith. «Et tu sais dans quel état sera maman s'il y a un lion dans la chambre. Nous avons commencé une partie, il faut la finir.»

Pierre baissa les yeux sur la planche du jeu. Que va-t-il se passer si Judith aussi a un sept? A cette case-là, il y aura deux lions. Pendant quelques secondes Pierre crut qu'il allait pleurer. Et puis il s'assit courageusement sur sa chaise et dit: «Jouons.»

Judith ramassa les dés, sortit un huit et avança un pion. *«Des singes volent la nourriture, sautez un tour»*, lut-elle. De la cuisine arrivèrent des bruits de pots s'entrechoquant et de chutes de verres. Les enfants coururent et virent une douzaine de singes en train de mettre la pièce sens dessus dessous.

«Oh là là», dit Pierre, «Maman en sera encore plus malade que pour le lion.»

«Vite», dit Judith, «retournons jouer.»

C'était au tour de Pierre. Dieu soit loué, il atterrit sur une case vierge. Il jeta à nouveau les dés. «*La saison de la mousson commence, sautez un tour.*» De petites gouttes de pluie commencèrent à tomber dans le salon. Et puis un coup de tonnerre secoua les murs et les singes effrayés sortirent de la cuisine. La pluie commençait à tomber en trombe quand Judith prit les dés.

«*Votre guide est perdu. Passez un tour.*» La pluie s'arrêta brusquement. Les enfants se retournèrent et virent un homme penché sur une carte.

«Diable! complètement perdu maintenant», marmonna-t-il. «Peut-être tourner à gauche ici et puis… non, non… tourner à droite ici… Oui absolument, je crois, à droite… ou alors…»

«Excusez-moi», dit Judith; mais le guide ne la vit même pas.

«… par là, et puis là… Non, de ce côté et après ici… oui, c'est ça… et alors… hum…»

Judith haussa les épaules et passa les dés à Pierre.

«... quatre, cinq, six», compta-t-il. «*Piqué par la mouche tsé-tsé vous attrapez la maladie du sommeil, passez un tour.*»

Judith entendit un faible bourdonnement et aperçut un petit insecte posé sur le nez de Pierre. Pierre leva la main pour le chasser puis sa main retomba, il bâilla à se décrocher la mâchoire et s'endormit comme une masse, la tête sur la table.

«Pierre, Pierre, réveille-toi!» cria Judith. Mais c'était inutile. Elle lui prit les dés et tomba dans une case blanche. Elle les jeta à nouveau et attendit avec curiosité. «*Charge de rhinocéros, reculez de deux cases.*»

Pierre se réveilla aussi vite qu'il s'était endormi et ils entendirent tous les deux un roulement dans l'entrée. Cela devenait de plus en plus fort. Tout à coup un troupeau de rhinocéros chargea à travers le salon et la salle à manger, écrasant tous les meubles sur son passage. Pierre et Judith se bouchèrent les oreilles mais le vacarme du bois volant en éclats et du bris de vaisselle remplissait toute la maison.

Pierre agita vite les dés. « *Un python s'est glissé dans le camp. Reculez d'une case.* »

Judith hurla et se dressa sur ses jambes.

«Sur la cheminée!» dit Pierre. Judith se rassit en apercevant avec horreur un serpent de deux mètres s'enrouler autour de la pendule. Le guide leva les yeux de sa carte, jeta un coup d'œil sur le serpent et se dirigea vers le coin le plus reculé de la pièce, près des chimpanzés, sur le canapé.

Judith joua à son tour et atterrit sur un blanc. Son frère prit les dés et fit tomber un trois.

«Oh non», gémit-il. «*Eruption volcanique, reculez de trois cases.*» La pièce se réchauffa et commença à trembler un peu. De la lave en fusion ruisselait de l'ouverture de la cheminée et se mélangeait à l'eau de pluie sur le sol. La pièce se remplit de vapeur. Judith lança les dés et avança.

«*Découverte d'un raccourci. Relancez les dés.* Oh mon Dieu!» cria-t-elle. Judith vit le serpent se dégager de la pendule.

«Si tu as un douze tu peux sortir de la jungle», dit Pierre.

«Pitié, pitié», suppliait Judith en secouant les dés. Le serpent descendait en se tortillant vers le sol. Elle lança les dés. Un six, puis un autre. Judith saisit son pion et le fit claquer sur la planche du jeu. «Jumanji», hurla-t-elle aussi fort qu'elle put.

La vapeur dans la pièce s'épaissit de plus en plus. Judith ne pouvait même plus voir Pierre de l'autre côté de la table. Et puis, comme si toutes les portes et les fenêtres s'étaient ouvertes, une brise fraîche éclaircit l'atmosphère. Tout redevint exactement comme avant le jeu. Plus de singes, plus de guide, plus d'eau, plus de meubles cassés, ni de serpent, ni de lion rugissant au premier étage, ni de rhinocéros. Sans se donner le mot, Pierre et Judith jetèrent le jeu dans sa boîte. Ils sortirent à toute vitesse, traversèrent la rue, coururent jusqu'au parc et se débarrassèrent du jeu sous un arbre. De retour à la maison, ils rangèrent rapidement tous leurs jouets. Mais ils étaient tous les deux trop excités pour s'asseoir sans rien faire et Pierre prit un puzzle. En cherchant les bonnes pièces, leur excitation se calma peu à peu et se transforma en épuisement. Le puzzle à moitié fait, Pierre et Judith s'endormirent à poings fermés sur le canapé.

«Réveillez-vous les petits.» C'était la voix de maman.

Judith ouvrit les yeux. Maman et papa étaient revenus et leurs invités arrivaient. Judith donna un coup de coude à Pierre pour le réveiller. Bâillant et s'étirant ils se levèrent.

Maman les présenta à quelques invités puis elle leur demanda: «Vous vous êtes bien amusés?»

«Oh oui», dit Pierre. «Nous avons eu une inondation, une charge de rhinocéros, une éruption volcanique, j'ai attrapé la maladie du sommeil et...» Pierre fut interrompu par l'éclat de rire des adultes.

«Bien», dit maman. «Je pense que vous avez tous les deux la maladie du sommeil. Pourquoi n'iriez-vous pas enfiler vos pyjamas? Après, vous pourrez finir votre puzzle et dîner.»

Quand Pierre et Judith redescendirent, ils virent que leur père avait transporté le puzzle dans le bureau. Pendant que les enfants le faisaient, une des invitées, Mme Budwing, leur apporta le dîner sur un plateau.

«Quel puzzle difficile», dit-elle aux enfants. «Dany et Walter passent leur temps à commencer des puzzles sans jamais les finir.» Dany et Walter étaient les fils de Mme Budwing. «Et en plus ils ne lisent jamais les explications. Bah», dit Mme Budwing en allant rejoindre les autres invités, «ils apprendront un jour.»

Les deux enfants répondirent «J'espère», mais ils ne s'occupaient plus de Mme Budwing. Ils étaient en train de regarder par la fenêtre. Deux garçons traversaient le parc en courant. C'était Dany et Walter Budwing, et Dany avait une grande boîte mince sous le bras.